愛思考的
貓巧可
節慶禮物書

貓巧可
生日快樂

文 王淑芬

圖 尤淑瑜

　　貓小乖第一次到貓巧可家時，一直大聲嚷著：「哇，你家只有一個字可以形容：書很多。」

　　貓小葉提醒他：「『書很多』是三個字。」但是，貓小乖才不管呢，在貓巧可的書架前，一下子抽出紅色的詩集，一下子拿出綠色的故事書。

　　貓小花對著貓巧可，神祕的笑了一笑，說：「太好了。」

　　貓巧可也神祕的回答：「交換禮物。」

貓咪小學每個月，會選一天舉辦「慶生會」，在簡單的活動中，為這個月的生日壽星慶祝。其中，大家最期待的，就是交換禮物。

　　貓巧可與貓小花的神祕一笑，就是在說：「給貓小乖的生日交換禮物，選書就對了。」

　　貓咪校長說：「禮物不必很貴重，只要是對方真心熱愛的東西，就算是自己做的都很珍貴。」

　　這是真的，因為貓咪校長去年送給校長夫人的生日禮物，就是他寫的一首詩，還刊登在「貓咪日報」上。校長夫人感動得都哭了。

今年，是貓小乖第一次參加慶生會，他告訴貓小葉自己的心情：「只有一個字形容：緊張。好啦，我知道緊張是兩個字。」

　　貓小花摸摸貓小乖搖個不停的尾巴，問：「為什麼緊張？」

因为貓小乖覺得，慶生會上大家要準備禮物給壽星。自己當壽星時，也會收到別人給的禮物。這件事太可怕啦！

他解釋：「第一，萬一我送給對方的禮物，他不想收，那就只有一個字可以形容：慘。第二，萬一都沒有人送禮物給自己，那就只有三個字可以形容：太慘了！」

貓巧可聽了了，提ち出《建議一：「小乖，你可以一回家先想想，什麼生日禮物會受到大家喜愛。」

這個月的慶生會到了，貓小花一到學校，便開心的取出三個盒子，這個月有三個同學生日呢。貓小葉也畫了三張卡片。至於貓巧可的禮物，最特別了，每個月的壽星，都可以問貓巧可一個問題。

「哇ㄨㄚ！」當ㄉㄤ貓ㄇㄠ小ㄒㄧㄠ花ㄏㄨㄚ看ㄎㄢ見ㄐㄧㄢ貓ㄇㄠ小ㄒㄧㄠ乖ㄍㄨㄞ兩ㄌㄧㄤ手ㄕㄡ空ㄎㄨㄥ空ㄎㄨㄥ，什ㄕ麼ㄇㄜ禮ㄌㄧ物ㄨ都ㄉㄡ沒ㄇㄟ帶ㄉㄞ時ㄕ，忍ㄖㄣ不ㄅㄨ住ㄓㄨ皺ㄓㄡ起ㄑㄧ眉ㄇㄟ頭ㄊㄡ。「小ㄒㄧㄠ乖ㄍㄨㄞ，你ㄋㄧ太ㄊㄞ小ㄒㄧㄠ氣ㄑㄧ啦ㄌㄚ。」

貓ㄇㄠ小ㄒㄧㄠ葉ㄧㄝ也ㄧㄝ提ㄊㄧ醒ㄒㄧㄥ貓ㄇㄠ小ㄒㄧㄠ乖ㄍㄨㄞ：「下ㄒㄧㄚ次ㄘ當ㄉㄤ你ㄋㄧ生ㄕㄥ日ㄖ，沒ㄇㄟ人ㄖㄣ送ㄙㄨㄥ你ㄋㄧ禮ㄌㄧ物ㄨ時ㄕ，怎ㄗㄣ麼ㄇㄜ辦ㄅㄢ？」

「唉。」貓小乖嘆著氣，說：「我回家想了又想，實在不知道該準備什麼。所以，我去問了貓巧可。」

難道，貓巧可建議貓小乖不必參加慶生會？

貓巧可微笑著回答：「貓小乖準備的禮物很特別唷，等一下就知道啦。」

生日快樂

14

　　慶生會開始了。 壽星收下所有的禮物， 十分開心。 貓咪老師很溫暖的為壽星製作一本小相本， 是三角形， 像個可愛的小蛋糕。 相本裡貼上壽星與好朋友的合照。

　　貓小葉今年做的卡片， 也很有創意， 可以拉高。 他說： 「因為生日就是又長大一歲， 所以我的卡片也會長高。 」

　　貓村的冰淇淋店， 還請大家試吃新口味的產品。 大家排著隊、 舉手高喊： 「請給我蟑螂口味。 」、 「我要三球薄荷口味。 」、 「雞肉口味， 謝謝。 」

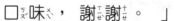

貓小乖要送給壽星的禮物在哪裡呢？ 只見他從口袋裡拿出一個小巧的相機， 高喊著：「我來幫大家拍照。 」

　　原來， 貓小乖送的生日禮物， 是「為大家服務」。 所有人都開心的吃冰淇淋， 也開心的露出甜美笑容， 讓貓小乖拍照。 貓小乖還說：「我爸爸會幫忙把相片列印出來， 送給大家做紀念。 」

　　這個禮物真有意義，同學們都高興的向貓小乖說謝謝。貓小歪還強調：「我要把帥氣的相片寄給奶奶看。」

　　這個特殊的生日禮物，跟貓小葉的卡片一樣，也是一個會變大的禮物。因為，大家除了吃得很滿足，心裡也覺得有滿滿的快樂與感謝。

貓巧可的 生日 想一想

生日時，要慶祝什麼呢？

感謝爸爸媽媽生下自己，還細心照顧，有舒適的家可以健康長大；或是，身邊的親朋好友，總是陪伴自己，每天過著愉快的生活。生日，是在美麗的世界，又多一年的成長，要謝謝對自己好的人，也要想想如何回報對方。

　　最好的生日禮物，當然是對方最需要的，讓人感受到真誠心意的，才是難忘的好禮。就像貓巧可送的生日禮物，是認真的回答壽星一個問題；貓小乖則是勤快的為大家拍照。

　　貓巧可生日那一天，你要對他說什麼？猜猜他的媽媽爸爸、貓咪老師，以及好朋友們會送貓巧可什麼禮物？

19

動手做
貓巧可生日卡

跟著影片
輕鬆完成

山線 ------

谷線 ········

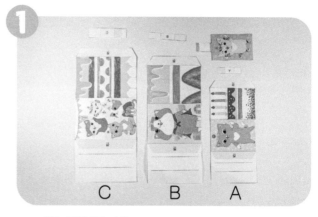

① 撕下圖樣。

將 A 插入縫中。

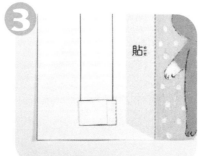

紙條向內摺，黏貼成環狀。

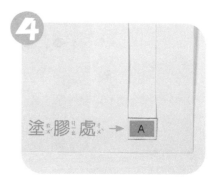

塗膠處 → A

翻至背面，在寫有 A 的環狀小紙條上塗膠。

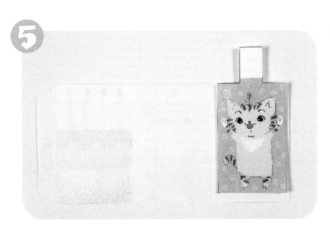

⑤ 貼上「最內層」貓小葉
圖卡，對齊紙條 A 底部。

⑥ 在黏貼邊上塗膠。

⑦ 將黏貼邊貼合，
完成圖卡 A。

⑧ 完成後，翻面試
試可否順利往上
拉出貓小葉。

9

B做法ㄈㄚˇ與ㄩˇA相ㄒㄧㄤ同ㄊㄨㄥˊ。

10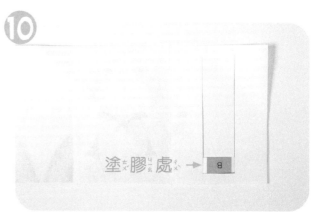

塗ㄊㄨˊ膠ㄐㄧㄠ。

11

貼ㄊㄧㄝ上ㄕㄤ做ㄗㄨㄛˋ好ㄏㄠˇ的ㄉㄜ圖ㄊㄨˊ卡ㄎㄚˇ A，對ㄉㄨㄟˋ齊ㄑㄧˊ紙ㄓˇ條ㄊㄧㄠˊ B 的ㄉㄜ底ㄉㄧˇ邊ㄅㄧㄢ。

12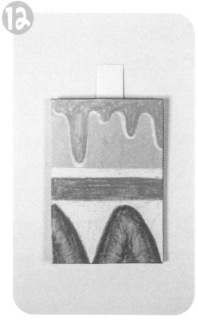

將ㄐㄧㄤ黏ㄋㄧㄢˊ貼ㄊㄧㄝ邊ㄅㄧㄢ貼ㄊㄧㄝ合ㄏㄜˊ，完ㄨㄢˊ成ㄔㄥˊ圖ㄊㄨˊ卡ㄎㄚˇ B。

13

試ㄕˋ試ㄕˋ可ㄎㄜˇ否ㄈㄡˇ順ㄕㄨㄣˋ利ㄌㄧˋ往ㄨㄤˇ上ㄕㄤˋ拉ㄌㄚ出ㄔㄨ貓ㄇㄠ小ㄒㄧㄠˇ葉ㄧㄝˋ和ㄏㄢˊ貓ㄇㄠ小ㄒㄧㄠˇ花ㄏㄨㄚ。

14 Ｃ 做_{ㄗㄨㄛˋ}法_{ㄈㄚˇ}相_{ㄒㄧㄤ}同_{ㄊㄨㄥˊ}，貼_{ㄊㄧㄝ}上_{ㄕㄤˋ}做_{ㄗㄨㄛˋ}好_{ㄏㄠˇ}的_{ㄉㄜ}圖_{ㄊㄨˊ}卡_{ㄎㄚˇ} Ｂ。

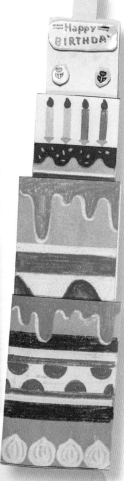

寫_{ㄒㄧㄝˇ}上_{ㄕㄤˋ}祝_{ㄓㄨˋ}福_{ㄈㄨˊ}的_{ㄉㄜ}話_{ㄏㄨㄚˋ}。

15 完_{ㄨㄢˊ}成_{ㄔㄥˊ}！ 全_{ㄑㄩㄢˊ}部_{ㄅㄨˋ}拉_{ㄌㄚ}出_{ㄔㄨ}時_{ㄕˊ}，變_{ㄅㄧㄢˋ}出_{ㄔㄨ}四_{ㄙˋ}層_{ㄘㄥˊ}生_{ㄕㄥ}日_{ㄖˋ}蛋_{ㄉㄢˋ}糕_{ㄍㄠ}。

送_{ㄙㄨㄥˋ}給_{ㄍㄟˇ}朋_{ㄆㄥˊ}友_{ㄧㄡˇ}的_{ㄉㄜ}生_{ㄕㄥ}日_{ㄖˋ}卡_{ㄎㄚˇ}片_{ㄆㄧㄢˋ}，除_{ㄔㄨˊ}了_{ㄌㄜ}寫_{ㄒㄧㄝˇ}「祝_{ㄓㄨˋ}你_{ㄋㄧˇ}生_{ㄕㄥ}日_{ㄖˋ}快_{ㄎㄨㄞˋ}樂_{ㄌㄜˋ}」，還_{ㄏㄞˊ}可_{ㄎㄜˇ}以_{ㄧˇ}寫_{ㄒㄧㄝˇ}或_{ㄏㄨㄛˋ}畫_{ㄏㄨㄚˋ}什_{ㄕㄣˊ}麼_{ㄇㄜ}？

你_{ㄋㄧˇ}生_{ㄕㄥ}日_{ㄖˋ}那_{ㄋㄚˋ}一_ㄧ天_{ㄊㄧㄢ}，最_{ㄗㄨㄟˋ}希_{ㄒㄧ}望_{ㄨㄤˋ}收_{ㄕㄡ}到_{ㄉㄠˋ}什_{ㄕㄣˊ}麼_{ㄇㄜ}禮_{ㄌㄧˇ}物_{ㄨˋ}？這_{ㄓㄜˋ}個_{ㄍㄜˋ}禮_{ㄌㄧˇ}物_{ㄨˋ}為_{ㄨㄟˋ}什_{ㄕㄣˊ}麼_{ㄇㄜ}對_{ㄉㄨㄟˋ}你_{ㄋㄧˇ}這_{ㄓㄜˋ}麼_{ㄇㄜ}重_{ㄓㄨㄥˋ}要_{ㄧㄠˋ}？

動手做
貓巧可蛋糕相本

1

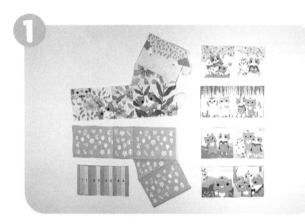

撕下圖樣。

2

將相本的內與外黏貼在一起。

3

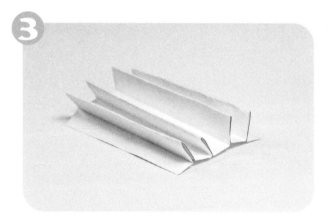

將 ------- 摺為山線，.............. 摺為谷線摺好，1 與 1 對貼，2 與 2 對貼，依此類推。

4

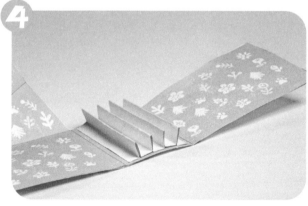

做好的相本夾，貼在內部中間。

5

相片對折，內側兩邊塗膠。

6

貼在相本夾的左右兩邊。

7

四張全貼好。

8

加上裝飾。

9

相本收好後，封口的心形上下套入。

10 完成！

動動腦 動手

也可以在相本裡貼上自己與壽星的照片，並加上簡短的文字解說，越有趣越好。

動手也動腦

國家圖書館出版品預行編目（CIP）資料

愛思考的貓巧可 節慶禮物書：貓巧可生日快樂 /
王淑芬文；尤淑瑜圖 . -- 第一版 . -- 臺北市：親子
天下股份有限公司 , 2021.12
28 面 ; 21.5*24.5 公分
注音版
ISBN 978-626-305-117-1（平裝）

863.596　　　　　　　110018569

愛思考的貓巧可：節慶禮物書

貓巧可生日快樂

文・手作紙卡設計｜王淑芬　圖｜尤淑瑜

責任編輯｜張佑旭　美術設計｜韋田工作室　封面設計｜曾偉婷　行銷企劃｜王予農
天下雜誌群創辦人｜殷允芃　董事長兼執行長｜何琦瑜
兒童產品事業群
副總經理｜林彥傑　總監｜黃雅妮　版權專員｜何晨瑋、黃微真

出版者｜親子天下股份有限公司　地址｜台北市 104 建國北路一段 96 號 4 樓
電話｜（02）2509-2800　傳真｜（02）2509-2462　網址｜www.parenting.com.tw
讀者服務專線｜（02）2662-0332　週一～週五：09:00~17:30
傳真｜（02）2662-6048　客服信箱｜bill@cw.com.tw
法律顧問｜台英國際商務法律事務所・羅明通律師
製版印刷｜中原造像股份有限公司
總經銷｜大和圖書有限公司　電話：（02）8990-2588

出版日期｜2021 年 12 月第一版第一次印行
定價｜250 元　書號｜BKKP0289P　ISBN｜978-626-305-117-1（平裝）

訂購服務 ─────────
親子天下 Shopping｜shopping.parenting.com.tw
海外・大量訂購｜parenting@cw.com.tw
書香花園｜台北市建國北路二段 6 巷 11 號　電話（02）2506-1635
劃撥帳號｜50331356　親子天下股份有限公司

立即購買 >

貼

貼

山線

最内層

Ｃ

山線

貼

貼

貼

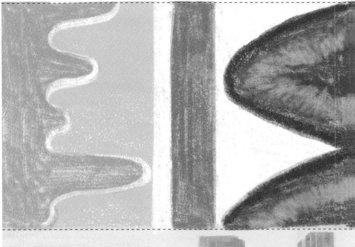

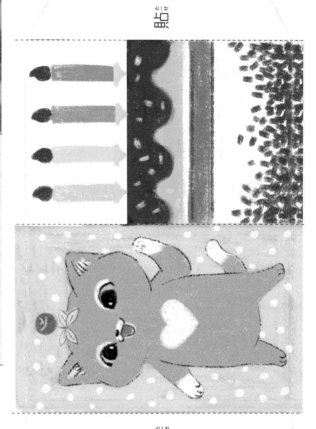

貼

B

A

裡

山線

谷線

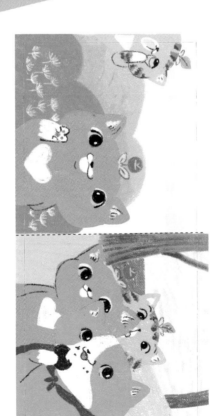

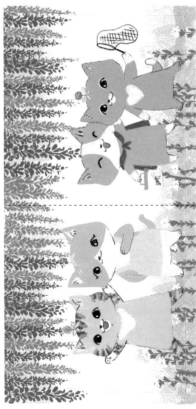

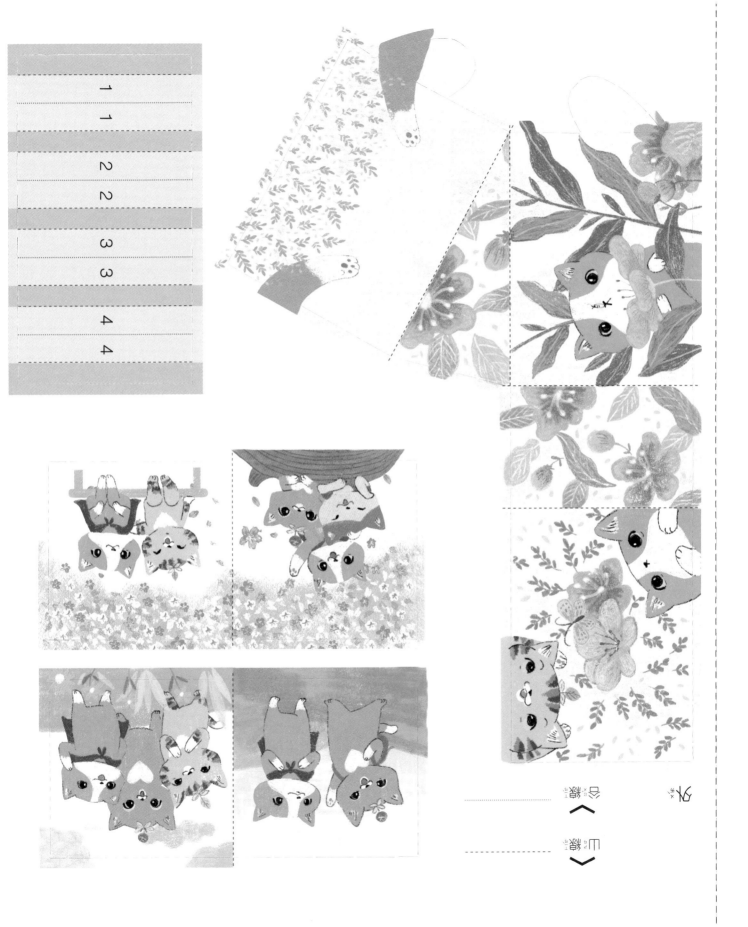